MICHAEL ROSE

A Miscellany for Clarinet

BOOK II

THE ASSOCIATED BOARD OF
THE ROYAL SCHOOLS OF MUSIC

for Malcolm

A MISCELLANY FOR CLARINET
BOOK II

MICHAEL ROSE

Arabesque

AB 2132

Hornpipe

Mini-rag

Molto moderato ♪ = 126

Fine

D.C.(con repetizione) al Fine

Bagatelle

CODA

D.C. al ⊕ poi alla Coda

Song and Dance

D.C. a tempo primo al ⊕ poi alla Coda

CODA

molto tenuto

molto tenuto

Jig

alla Coda

CODA

D.C. al ⊕ poi alla Coda

Humoreske

Allegro molto moderato ♩ = 104

Printed in England by Caligraving Limited Thetford Norfolk

1:05

AB 2132